Les clefs d'une passion

Keys to a Passion

Introduction

Affirmer les principes fondateurs de la Collection et de la Fondation qui l'abrite, tel est l'objet de la troisième étape de l'inauguration de la Fondation Louis Vuitton, l'exposition « *Les clefs d'une passion* ».

À la puissance lyrique du bâtiment conçu par Frank Gehry répond la présentation d'une sélection inédite d'œuvres majeures de l'histoire de l'art moderne. Il s'agit d'œuvres de référence, qui ont guidé la constitution de la collection, comme elles ont guidé tant d'artistes, de professionnels et d'amateurs impliqués sur la scène artistique de la seconde moitié du xxᵉ siècle, à l'instar de Bernard Arnault qui a souhaité les faire partager à l'occasion de l'ouverture de la Fondation. Ces œuvres venues de différents horizons ont en commun d'avoir « cassé les règles » de l'art de leur époque. Ce sont des repères et des boussoles. Elles nous guident encore.

Souvent difficilement accessibles, elles sont ici réunies pour offrir aux visiteurs, à chacun d'entre eux en particulier, l'expérience irremplaçable d'une rencontre sensible et personnelle avec une œuvre unique. Cette expérience d'empathie avec les œuvres d'art a, depuis plusieurs siècles, son lieu privilégié : le musée. C'est, précisément, l'objet de la Fondation Louis Vuitton.

Cette proposition ne relève donc en rien du survol mental d'un « musée imaginaire » à travers des reproductions accessibles à tous, mais invite à l'expérience directe d'œuvres réelles imposant leur présence sensible unique. Elle appelle, par-delà l'acuité mentale, le regard incarné du visiteur et cela, dans un lieu dédié susceptible de préserver la réalité spécifique de l'œuvre. (…)

Sans ignorer bien sûr que, même et surtout, les œuvres les plus saillantes et innovantes s'inscrivent dans un contexte et une histoire, le parcours de l'exposition s'organise ainsi en résonnance avec les quatre axes structurant, de façon plastique et mouvante, la collection de notre Fondation : les lignes **expressionnisme subjectif**, **contemplative**, **popiste**, **musique / son**. (…)

Ces « lignes » soulignent les partis pris destinés aujourd'hui à donner une identité à notre Collection qui se veut « engagée » sur un mode passionnel, sans chercher l'universalité et l'objectivité attendues d'une collection publique. Tel est l'esprit de cette exposition elle-même.

Le choix porte donc d'abord sur des œuvres éruptives et irréductiblement singulières d'artistes eux-mêmes révolutionnaires. Plusieurs d'entre elles sont désormais considérées comme « iconiques ». Toujours, c'est l'innovation formelle et l'invention d'un langage puissamment original qui en garantit la charge émotionnelle, que ce soit sur le registre du tragique, du contemplatif, du sublime ou de l'exubérance moderniste. C'est elle qui force aujourd'hui encore l'arrêt, voire la sidération, dans l'expérience véritablement empathique suscitée par une œuvre alors réactivée, avec l'essentielle vibration de son « aura ». (…)

La **première séquence** de l'exposition, ***expressionnisme subjectif***, renvoie aux questionnements de tout un chacun quant à la vie, la mort, l'angoisse, la solitude, la rage désespérée de vivre, malgré soi, malgré l'autre : Francis Bacon, Otto Dix, Alberto Giacometti, Kazimir Malévitch, Edvard Munch, Helene Schjerfbeck. (…), (p. 4).

Le développement de la **seconde séquence** répond à l'importance de la ligne ***contemplative*** de notre Collection, évoluant ici de la méditation devant la nature au dépouillement et à la radicalité de l'abstraction : Constantin Brancusi, Akseli Gallen-Kallela, Ferdinand Hodler, Kazimir Malévitch, Piet Mondrian, Claude Monet, Emil Nolde, Mark Rothko, tandis qu'une tout autre voie conduit à une immersion hédoniste plus incarnée : Pierre Bonnard, Pablo Picasso. (…), (p. 16).

La **troisième séquence**, ***popiste***, est quant à elle résolument engagée dans la vitalité, la dynamique et le progrès de la vie moderne, à travers ses expressions les plus contemporaines que sont la ville, le sport, la publicité, les médias : Robert Delaunay, Fernand Léger, Francis Picabia. (…), (p. 44).

Enfin, la **quatrième séquence** concerne la ***musique*** dans le rapport étroit que les artistes entretiennent alors avec elle et le rôle déterminant qu'elle occupe, évident ou implicite, dans un grand nombre d'œuvres, à travers un choix emblématique d'œuvres de Henri Matisse, Wassily Kandinsky, František Kupka et Gino Severini. (…), (p. 54).

Extrait de la préface de Suzanne Pagé au catalogue de l'exposition.

Introduction

Affirming the founding principles that have inspired the permanent collection and the Foundation that houses them: such is the vocation of this third stage in the inauguration of the Fondation Louis Vuitton, the exhibition *'Keys to a Passion'*.

The presentation of an unprecedented selection of major works that have shaped the history of modern art resonates with the lyrical power of the building designed by Frank Gehry. These are touchstones that guided the composition of the collection, just as they have guided countless artists, art professionals and art lovers engaged in the world of art during the second half of the 20th century, like Bernard Arnault, who wanted to share these works with the public in conjunction with the inauguration of the Foundation. These works come from different horizons. What they share is that in their respective eras they all 'broke the rules' of art. They are benchmarks and, like compasses, they continue to guide us.

Many of these works are difficult to see first hand. They have been brought together here to offer visitors – each and every one in particular – the irreplaceable experience that comes from an emotional and personal encounter with a unique work of art. This experience of an empathic connection has for centuries taken place above all in a distinctive space: the museum. And that is precisely the raison d'être of the Fondation Louis Vuitton.

This is most certainly not a mental survey of some 'imaginary museum' thanks to reproductions that are accessible to all. Rather, it invites the direct and indeed irreplaceable experience that comes from the actual works, requiring viewers to be present with their own personal sensitivity. Beyond the notion of mental acuity, this requires the visitor's embodied gaze of the work in a space preserving its distinctive reality. (...)

It should be remembered, of course, perhaps most importantly, that the most striking and innovative works have a context and a history. The exhibition itinerary is arranged so as to resonate with the four themes that structure, with a shifting plasticity, our Foundation's collection: ***Subjective Expressionism***, ***Contemplative***, ***Popist*** and ***Music/Sound***. (...)

These 'lines' nevertheless emphasise the underlying principles that impart a clear identity to our collection, a collection that is resolutely engaged with and has a passionate approach to art, without seeking the universality and objectivity expected from a public collection. Indeed, this is the spirit that defines the exhibition itself.

The choice here has thus focused first on 'eruptive' and irreducibly singular works by artists who were themselves revolutionaries. Several of them are now considered 'iconic'. What is more, the formal innovation and invention of a powerful and original language always guarantee the emotional impact, be it tragic, contemplative, sublime or exuberantly modernist. This is what still today stops and even stuns the viewer by sparking the truly empathetic experience engendered by a work that is 'reactivated' with the essential vibration of its 'aura'. (...)

The first sequence, ***Subjective Expressionism***, evokes the questions each of us has about life, death, anguish, solitude and the desperate rage to live, despite oneself, despite others – Francis Bacon, Otto Dix, Alberto Giacometti, Kazimir Malevich, Edvard Munch, Helene Schjerfbeck. (...), (p. 4).

The development of **the second sequence** is a response to the importance of the ***Contemplative*** line in our collection. Here, the works range from a meditation on nature to the paring down and radicalism of abstraction – Constantin Brancusi, Akseli Gallen-Kallela, Ferdinand Hodler, Kazimir Malevich, Piet Mondrian, Claude Monet, Emil Nolde, Mark Rothko – while quite another direction leads to an immersion in a palpable hedonism – Pierre Bonnard, Pablo Picasso. (...), (p. 16).

As for **the third sequence**, ***Popist***, it is resolutely engaged with the vitality, momentum and progress of modern life, represented through its most contemporary expressions – the city, sports, advertising and the media: Robert Delaunay, Fernand Léger and Francis Picabia. (...), (p. 44).

The fourth and final sequence centres on ***Music***, the close relationship between artists and music, and the decisive role played by music in many works – both explicitly and implicitly – as illustrated by an emblematic selection of works by Henri Matisse, Wassily Kandinsky, František Kupka and Gino Severini. (...), (p. 54).

Extract from Suzanne Pagé's preface to the exhibition catalogue.

Expressionnisme subjectif

Subjective Expressionism

1 Edvard Munch
(1863-1944)
Le Cri (Cri / Désespoir) / The Scream [*Skrik*],
1893 ? 1910 ?
Tempera et huile sur carton non apprêté / Tempera and oil on unprimed cardboard
83,5 × 66 cm
Oslo, musée Munch / Munch Museum

2 Francis Bacon
(1909-1992)
Étude d'après le corps humain / Study from the Human Body, 1949
Huile sur toile /
Oil on canvas
147,2 × 130,6 cm
Melbourne, National Gallery of Victoria.
Achat / Purchase,
1953 (2992-4)

3 Francis Bacon (1909-1992)
Étude pour un portrait / Study for Portrait, 1949
Huile sur toile / Oil on canvas
149,4 × 130,6 cm
Chicago, Collection Museum of Contemporary Art of Chicago. Don de Joseph et Jory Shapiro 1976.44

4 Kazimir Malévitch (1879-1935) *Pressentiment complexe ou Buste avec une chemise jaune / Complex Presentiment* or *Bust with a Yellow Shirt*, vers / c. 1932 Huile sur toile / Oil on Canvas, 98,5 × 78,5 cm Saint-Pétersbourg / St Petersburg, Musée national russe / The State Russian Museum

5 Alberto Giacometti (1901-1966) *L'homme qui marche I / Walking Man I*, 1960. Bronze, 183 × 26 × 95,5 cm Fondation Marguerite et Aimé Maeght , Saint-Paul de Vence – France

6 Alberto Giacometti (1901-1966)
Portrait de Jean Genet /
Portrait of Jean Genet, 1954-1955
Huile sur toile /
Oil on canvas, 73 × 60 cm
Achat / Purchase, 1980
Paris, Centre Pompidou.
Musée national d'art moderne
– Centre de création industrielle

7 Alberto Giacometti
(1901-1966)
[Tête noire] / [Dark Portrait],
vers / c. 1957-1959
Huile sur toile /
Oil on canvas, 81,4 × 65 cm
Paris, Collection Fondation
Alberto et Annette
Giacometti, inv. 1994-0589

8 Helene Schjerfbeck
(1862-1946)
Autoportrait / Self-Portrait
[*Omakuva*], 1915
Crayon, aquarelle, fusain,
feuille d'argent sur papier /
Crayon, watercolour,
charcoal, silver leaf
on paper, 47 × 34,5 cm
Turku, Turku Art Museum

9 Helene Schjerfbeck (1862-1946). *Autoportrait à la bouche noire / Self-Portrait with Black Mouth* [*Mustasuinen omakuva*], 1939. Huile sur toile / Oil on canvas, 39 × 27 cm Helsinki, Didrichsen Art Museum

10 Helene Schjerfbeck (1862-1946). *Autoportrait / Self-Portrait* [*Omakuva*], 1934. Huile sur toile marouflée sur bois / Oil on canvas glued on wood, 37 × 26,5 cm Collection particulière / Private Collection

11 Helene Schjerfbeck (1862-1946). *Autoportrait à la palette I / Self-Portrait with Palette I* [*Omakuva paletteineen*], 1937 Tempera et huile sur toile / Tempera and oil on canvas, 54,5 × 41 cm Stockholm, Moderna Museet. Legs / Bequest 1970 de Henrik Nissen

12 Helene Schjerfbeck (1862-1946). *Autoportrait à la tache rouge / Self-Portrait with Red Mark* [*Punatäpläinen omakuva*], 1944. Huile sur toile / Oil on canvas, 45 × 37 cm Helsinki, Ateneum Art Museum, Donation Gösta et Bertha Stenman / Gösta and Bertha Stenman Donation

13 Otto Dix (1891-1969)
Portrait de la danseuse Anita Berber /
Portrait of the Dancer Anita Berber
[*Bildnis der Tänzerin Anita Berber*], 1925
Huile et détrempe sur contreplaqué /
Oil and distemper on plywood
120,4 × 64,9 cm
Stuttgart, Sammlung Landesbank
Baden-Württemberg
im Kunstmuseum Stuttgart

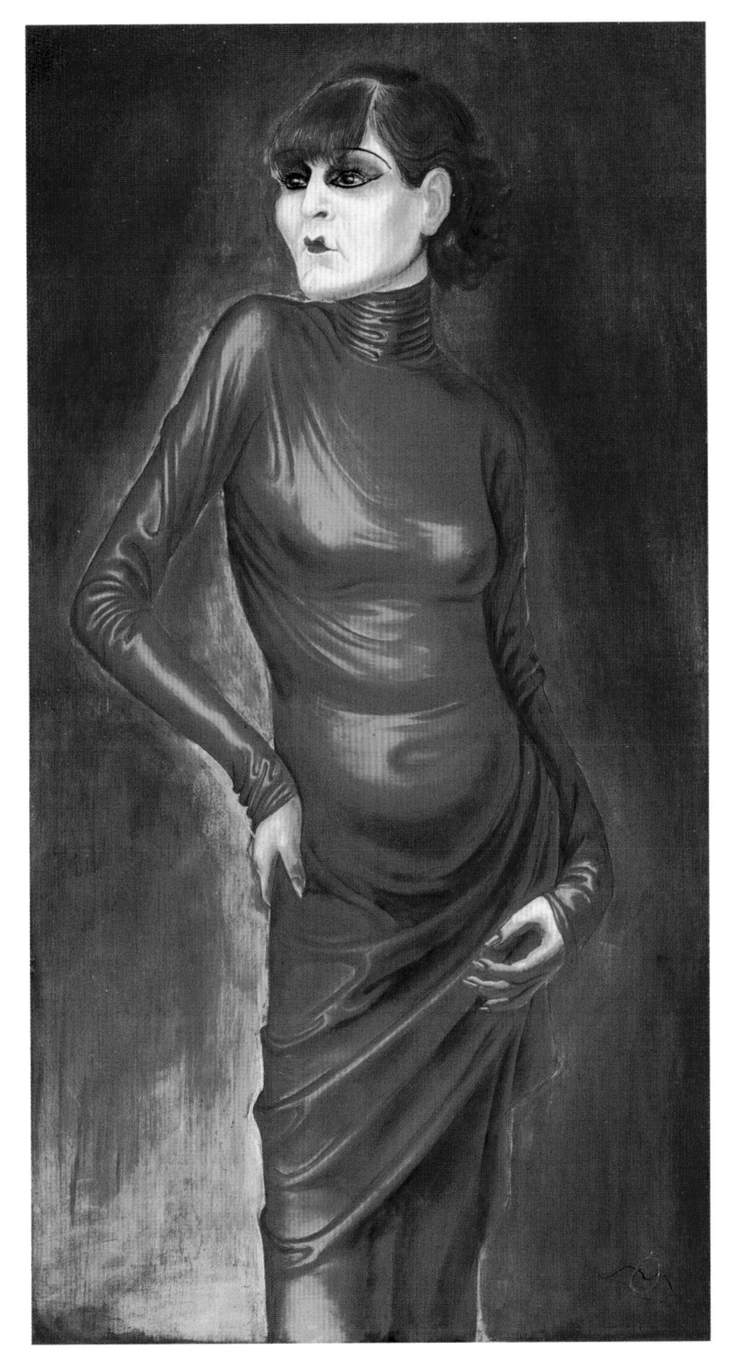

Contemplative

Contemplative

14 Claude Monet (1840-1926)
Nymphéas bleus / Blue Water Lilies, 1916-1919
Huile sur toile / Oil on canvas, 204 × 200 cm
Paris, musée d'Orsay

15 Claude Monet (1840-1926)
Nymphéas / Water Lilies, 1916-1919
Huile sur toile / Oil on canvas
200 × 180 cm
Paris, musée Marmottan Monet

16 Akseli Gallen-Kallela (1865-1931)
Lac Keitele / Lake Keitele [*Keitele*], 1904
Huile sur toile / Oil on canvas, 50 × 65 cm
Collection particulière / Private collection

17 Akseli Gallen-Kallela (1865-1931)
Lac Keitele / Lake Keitele [Keitele], 1904
Huile sur toile / Oil on canvas 59 × 74 cm
Collection particulière / Private collection

18 Akseli Gallen-Kallela (1865-1931)
Lac Keitele / Lake Keitele [*Keitele*], 1905
Huile sur toile / Oil on canvas, 53 × 67 cm
Lahti, Lahti Art Museum / Viipuri Foundation

19 Akseli Gallen-Kallela (1865-1931)
Lac Keitele / Lake Keitele [*Keitele*], 1905
Huile sur toile / Oil on canvas, 53 × 66 cm
Londres / London, The National Gallery.
Achat / Purchase, 1999

20 Piet Mondrian (1872-1944)
Mer au crépuscule / Sea after Sunset
[*Zee na zonsondergang*], 1909
Huile sur carton / Oil on cardboard, 62,5 × 74,5 cm
La Haye / The Hague, Collection Gemeentemuseum Den Haag

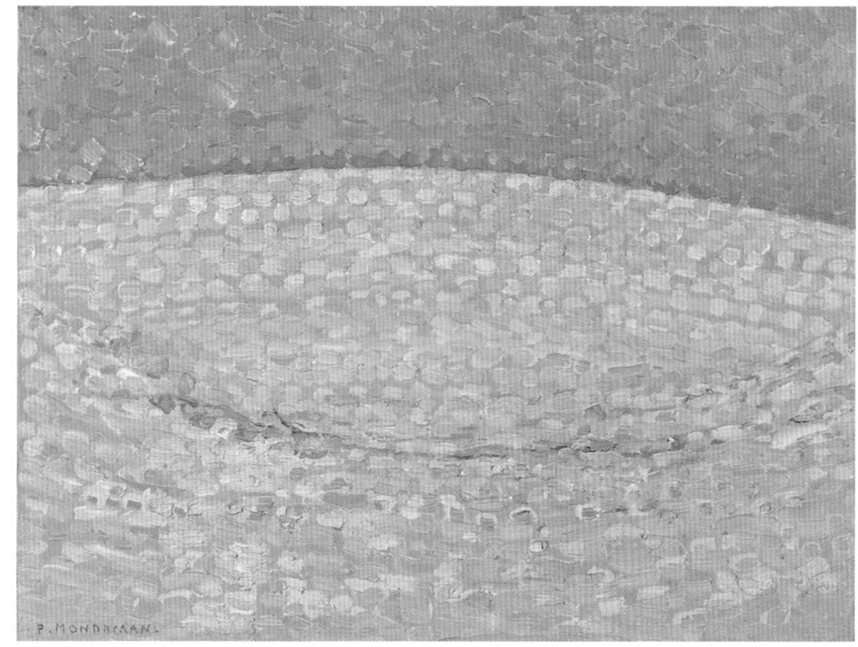

21 Piet Mondrian (1872-1944)
Dune I / Dune Sketch in Bright Lines (*Dune I*) [*Duin I*], 1909
Huile sur carton /
Oil on cardboard, 30 × 40 cm
La Haye / The Hague, Collection Gemeentemuseum Den Haag

22 Piet Mondrian (1872-1944)
Dune III / Pointillist Dune Study, Crest at Center (Dune III) [*Duin III*], 1909
Huile sur carton /
Oil on cardboard, 29,5 × 39 cm
La Haye / The Hague, Collection Gemeentemuseum Den Haag

23 Ferdinand Hodler (1853-1918)
Le Grammont / Mount Grammont [*Der Grammont*], 1905
Huile sur toile /
Oil on canvas, 65 × 105 cm
Suisse / Switzerland,
Collection particulière /
Private collection
Courtesy Simon Studer Art,
Genève / Geneva

24 Ferdinand Hodler (1853-1918)
Le Lac Léman et la chaîne du mont Blanc, à l'aurore / Lake Geneva with the Mont Blanc at First Light [*Genfersee mit Mont-Blanc im Frülicht*], 1918
Huile sur toile / Oil on canvas
65 × 93 cm
Zurich, Kunsthaus Zürich.
Don du / Donated by
Holenia Trust en mémoire
de Joseph H. Hirshhorn, 1992

25 Ferdinand Hodler (1853-1918)
Le Weisshorn, vue prise de Montana / The Weisshorn Seen from Montana [*Weisshorn, von Montana aus gesehen*], 1915
Huile sur toile / Oil on canvas
65,5 × 80,5 cm
Essen, Museum Folkwang

26 Ferdinand Hodler (1853-1918)
Coucher de soleil sur le Lac Léman vu de Caux / Sunset over Lake Geneva, Seen from Caux [*Sonnenuntergang am Genfersee von Caux aus*], 1917
Huile sur toile / Oil on canvas
61 × 82 cm
Zürich, collection particulière / Private collection

27 Emil Nolde (1867-1956)
Mer au large de l'île d'Als / Sea off Als [*Meer bei Alsen*], 1910
Huile sur toile / Oil on canvas, 72 × 87 cm
Collection particulière / Private collection

28 Emil Nolde (1867-1956)
Crépuscule (Paysage de noue) / Early Evening [*Vorabend*], 1916
Huile sur toile / Oil on canvas, 73,4 × 100,9 cm
Bâle / Basel, Kunstmuseum Basel
Acquis en 1939 avec un crédit spécial du gouvernement de Bâle /
Acquired in 1939 with a special loan from the government of Basel

29 Piet Mondrian (1872-1944)
Composition 10 en noir et blanc / Composition 10 in black and white
[*Compositie 10 in zwart wit*], 1915
Huile sur toile / Oil on canvas, 85,8 × 108,4 cm
Otterlo, Collection Kröller-Müller Museum

30 Piet Mondrian (1872-1944)
Composition avec lignes, second état / Composition in line, second state
[*Compositie in lijn, tweede staat*], 1916-1917
Huile sur toile / Oil on canvas, 108 × 108 cm
Otterlo, Collection Kröller-Müller Museum

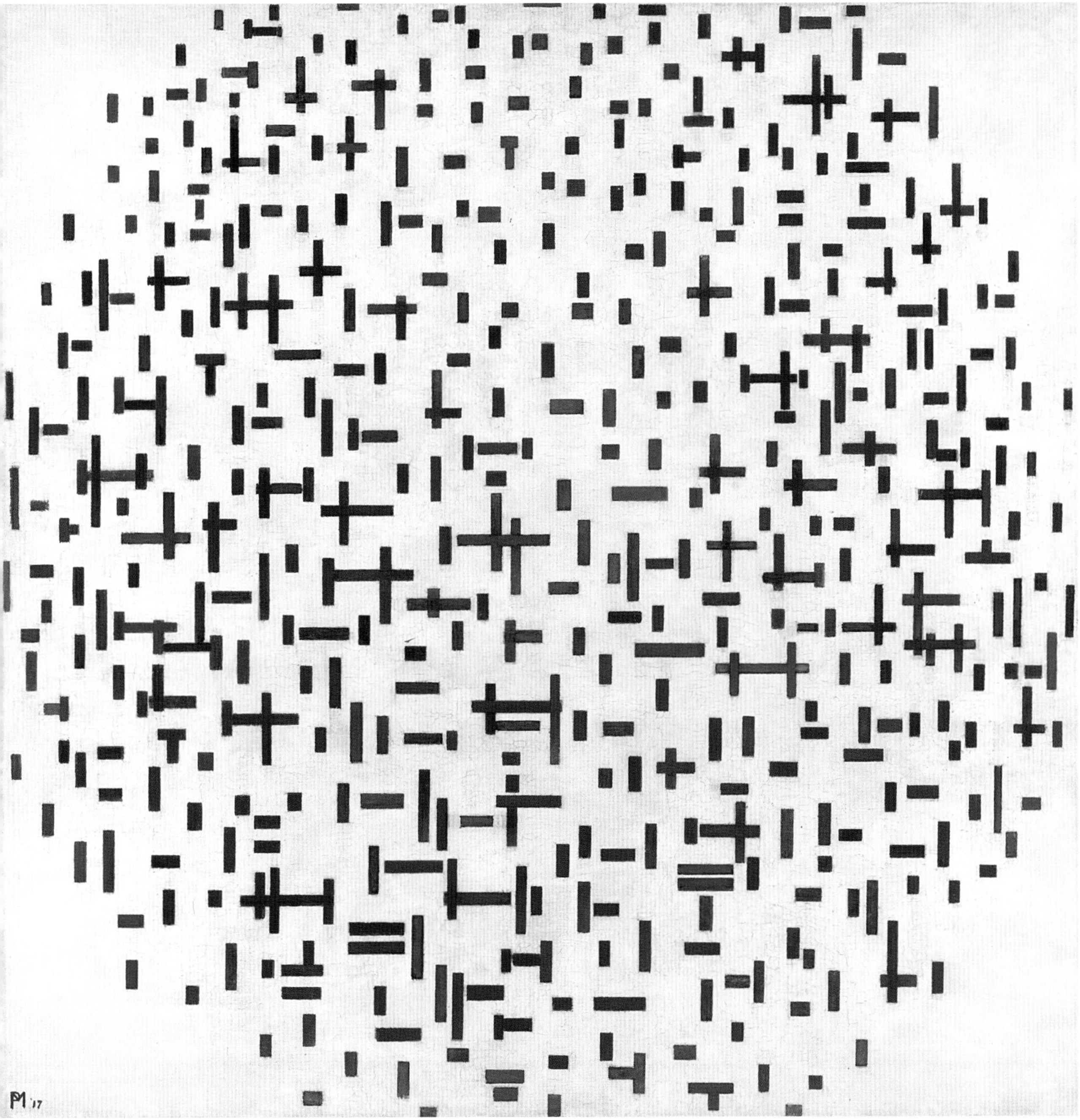

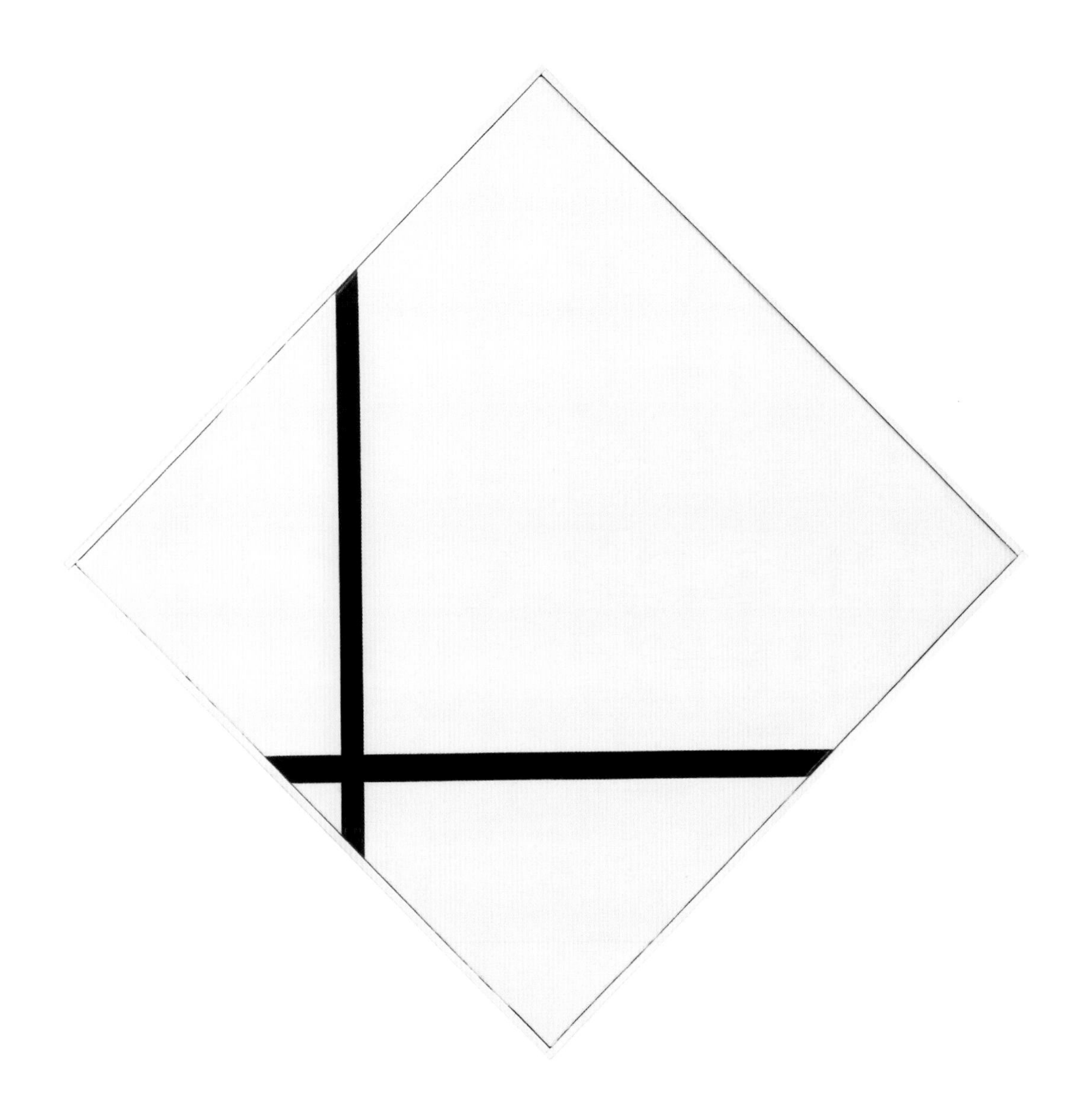

31 Piet Mondrian (1872-1944). *Composition dans le losange avec deux lignes / Lozenge Composition with Two Lines* [*Ruitvormige compositie met twee lijnen*], 1931. Huile sur toile / Oil on canvas, 107 × 107 cm, Diagonale/Diagonal 149,5 cm Amsterdam, Collection Stedelijk Museum. Acquis avec le généreux support du Prins Bernhard Cultuurfonds, de la Algemeen Loterij Nederland et de la Vereniging Rembrandt / Acquired with the generous support of the Prins Bernhard Cultuurfonds, the Algemene Loterij Nederland and the Vereniging Rembrandt

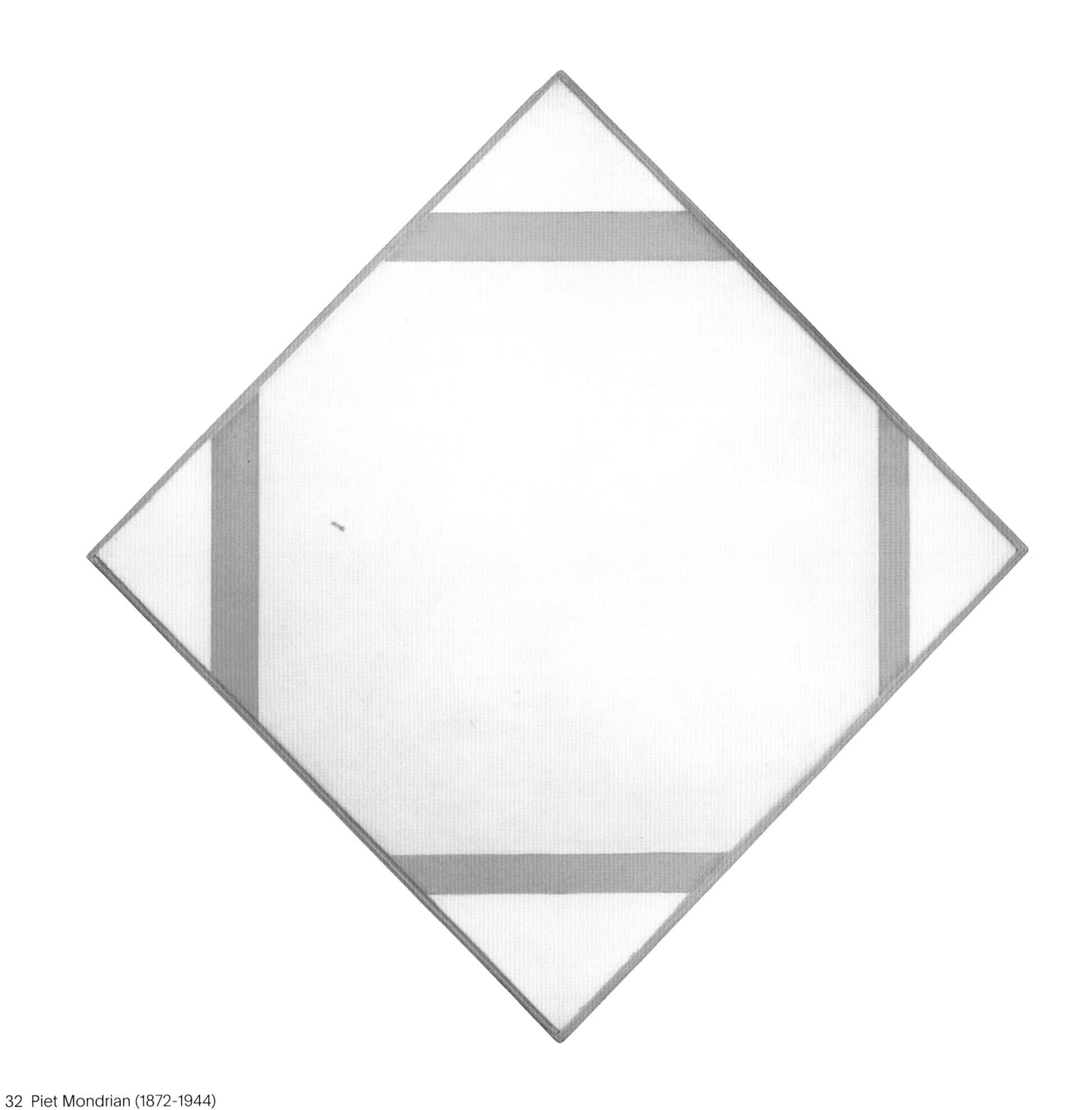

32 Piet Mondrian (1872-1944)
Composition dans le losange avec lignes jaunes /
Lozenge Composition with Yellow Lines [*Compositie met gele lijnen*], 1933
Huile sur toile / Oil on canvas, Diagonale / Diagonal 112,9 cm, côtés / sides 80,2 × 79,9 cm
La Haye / The Hague, Collection Gemeentemuseum Den Haag

33 Kazimir Malévitch (1879-1935)
Carré noir / Black Square, circa 1923
Huile sur toile / Oil on canvas, 106 × 106 cm
Saint-Pétersbourg / St Petersburg,
Musée national russe /
The State Russian Museum

→ Page 34
34 Kazimir Malévitch (1879-1935)
Croix noire / Black Cross, circa 1923
Huile sur toile / Oil on canvas, 106 × 106,5 cm
Saint-Pétersbourg / St Petersburg,
Musée national russe /
The State Russian Museum

→ Page 35
35 Kazimir Malévitch (1879-1935)
Cercle noir / Black Circle, circa 1923
Huile sur toile / Oil on canvas, 105,5 × 106 cm
Saint-Pétersbourg / St Petersburg,
Musée national russe /
The State Russian Museum

36 Constantin Brancusi (1876-1957)
La Colonne sans fin, Version 1 / Endless Column, Version 1, 1918
Bois de chêne / Oak
203,2 × 25,1 × 24,5 cm
New York, The Museum of Modern Art. Don de / Gift of Mary Sisler, 1983

37 Mark Rothko (1903-1970)
N° 46 (Noir, ocre, rouge sur rouge) / No. 46 (Black, Ochre, Red Over Red)], 1957
Huile sur toile / Oil on canvas
252,73 × 207,01 × 4,45 cm
Los Angeles, The Museum of Contemporary Art, The Panza Collection

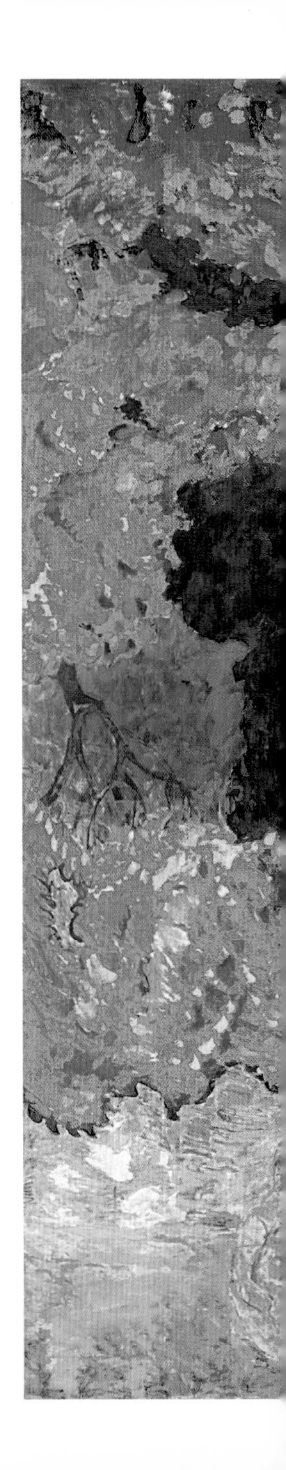

38 Pierre Bonnard (1867-1947)
L'Été / Summer, 1917
Huile sur toile / Oil on canvas
260 × 340 cm
Fondation Marguerite et Aimé Maeght , Saint-Paul de Vence – France

39 Pablo Picasso (1881-1973)
Tête de femme aux grands yeux /
Head of a Woman with Large Eyes, 1931
Plâtre / Plaster, 89 × 49 × 37 cm
Collection particulière / Private collection

40 Pablo Picasso (1881-1973)
Femme aux cheveux jaunes /
Woman with Yellow Hair, Paris,
décembre / December 1931
Huile sur toile / Oil on canvas, 100 × 81 cm
New York, The Solomon R. Guggenheim Museum.
Thannhauser Collection. Don / Gift,
Justin K. Thannhauser, 1978. 78.2514.59

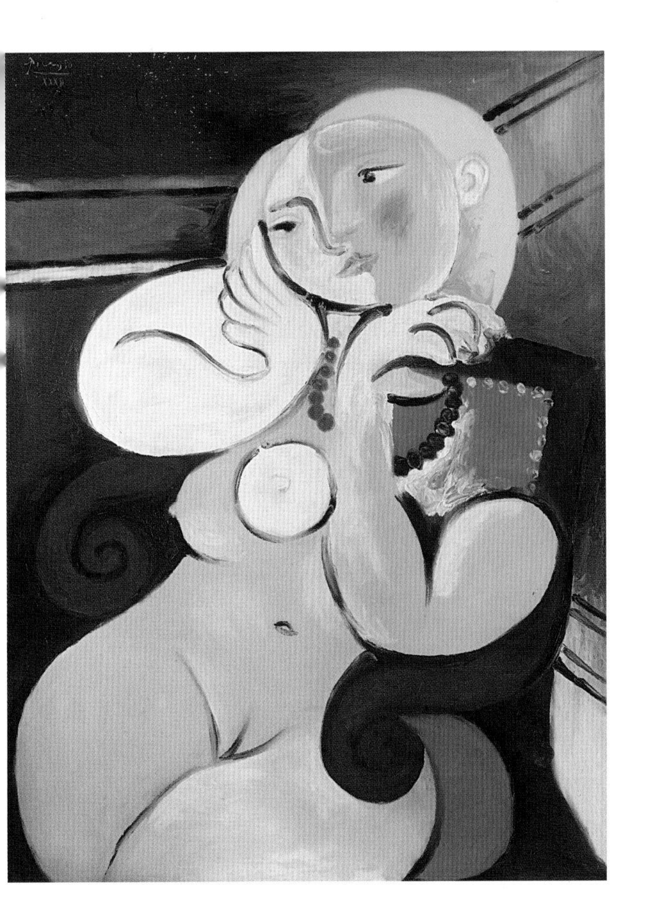

41 Pablo Picasso (1881-1973)
Femme nue dans un fauteuil rouge /
Nude Woman in a Red Armchair, 1932
Huile sur toile / Oil on canvas, 129,9 × 97,2 cm
Londres, Tate. Achat / Purchase 1953

42 Pablo Picasso (1881-1973)
La Lecture / Reading, 2 janvier 1932 / 2 January 1932
Huile sur toile / Oil on canvas, 130 × 97,5 cm
Dation / Acceptance in lieu, 1979, MP137
Paris, Musée national Picasso

Popiste

Popist

43 Robert Delaunay (1885-1941)
L'Équipe de Cardiff /
The Cardiff Team, 1912-1913
Huile sur toile / Oil on canvas
326 × 208 cm
Paris, musée d'Art moderne
de la Ville de Paris

44 Fernand Léger (1881-1955)
Trois femmes (Le Grand Déjeuner) / Three Women, 1921-1922
Huile sur toile / Oil on canvas, 183,5 × 251,5 cm
New York, The Museum of Modern Art. Fonds Mrs. Simon Guggenheim / Mrs. Simon Guggenheim Fund, 1942

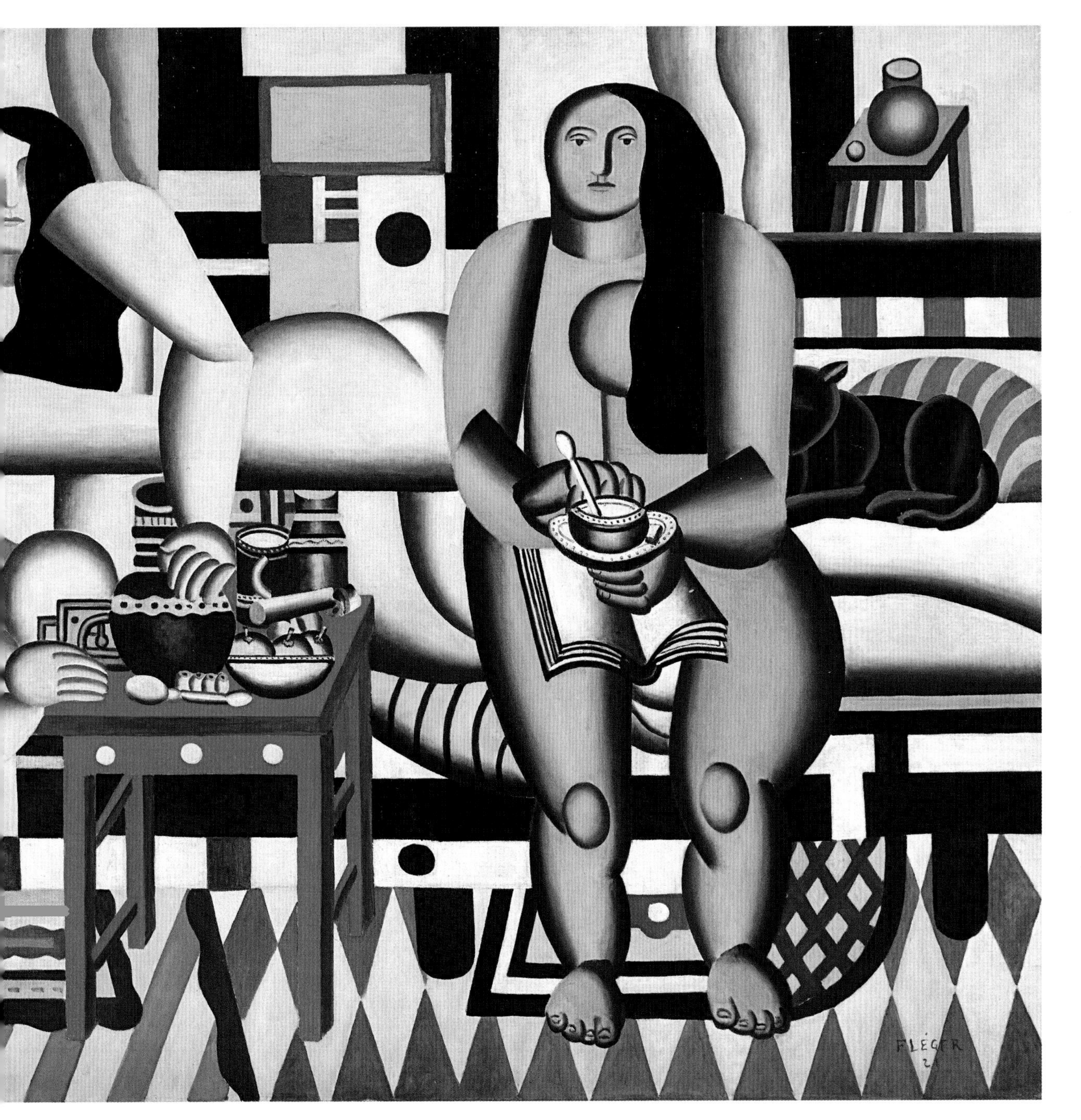
F.LÉGER
21

45 Fernand Léger (1881-1955)
L'Acrobate et sa partenaire / *The Acrobat and his Partner,* 1948
Huile sur toile / Oil on canvas, 130,2 × 162,6 cm
Londres / London, Tate. Achat / Purchase 1980

46 Fernand Léger (1881-1955)
Les Constructeurs à l'aloès / Constructors with the Aloe, 1951
Huile sur toile / Oil on canvas, 160 × 200 cm
Moscou / Moscow, Musée national des beaux-arts Pouchkine /
The State Pushkin Museum of Fine Arts

47 Francis Picabia (1879-1953)
Printemps / Spring, 1942-1943
Huile sur toile / Oil on canvas, 114,8 × 90,2 cm
Courtesy Michael Werner Gallery, New York, Londres / London, Märkisch Wilmersdorf

48 Francis Picabia
(1879-1953)
Femmes au bull-dog /
Women and Bulldog,
1941-1942
Huile sur carton / Oil
on cardboard, 106 × 76 cm
Achat / Purchase, 2003
Paris Centre Pompidou.
Musée national d'art
moderne – Centre
de création industrielle

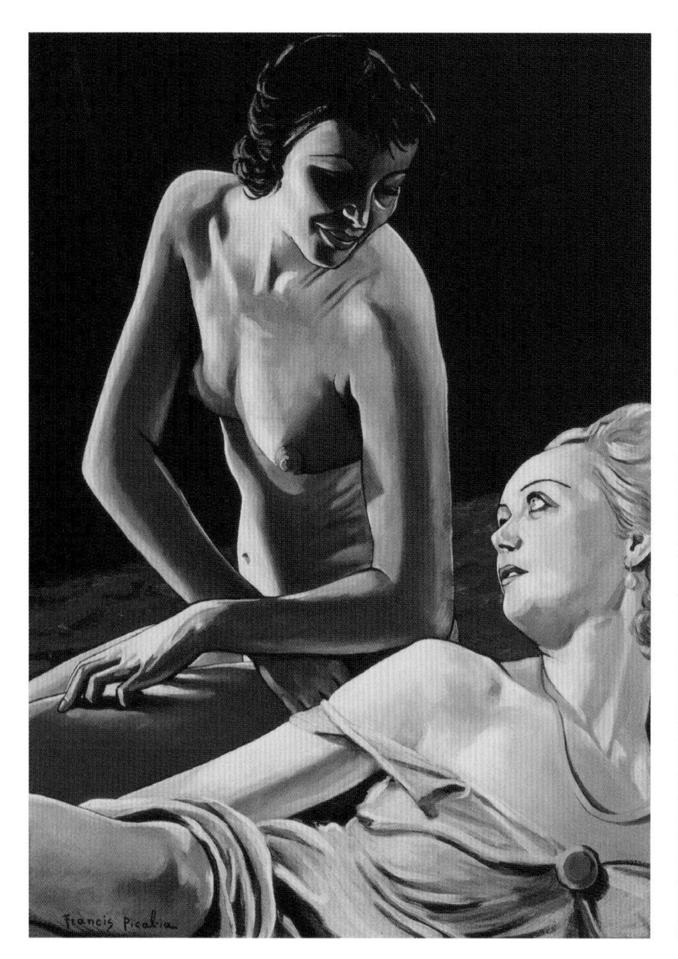

49 Francis Picabia (1879-1953)
La Brune et la Blonde / The Brunette and the Blonde, 1941-1942
Huile sur carton / Oil on cardboard, 104 × 75 cm
Collection particulière / Private collection.
Courtesy Hauser & Wirth

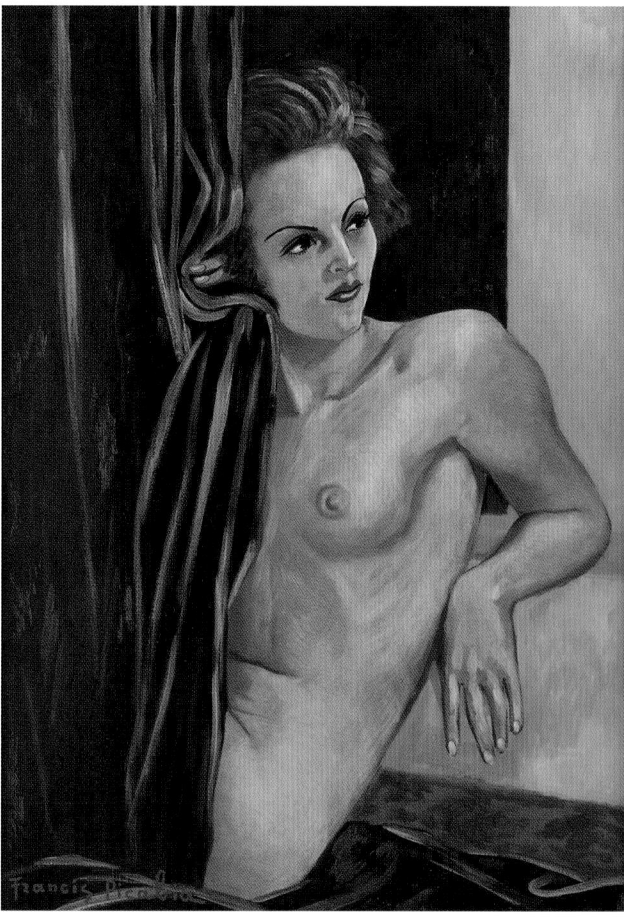

50 Francis Picabia (1879-1953)
Nu assis / Seated Nude, 1941-1942
Huile sur carton / Oil on cardboard, 106 × 76 cm
Suisse / Switzerland, Collection
Ursula Hauser / Ursula Hauser Collection

51 Francis Picabia (1879-1953)
Portrait d'un couple (Le Cerisier) /
Portrait of a Couple (The Cherry Tree), 1942-1943
Huile sur panneau / Oil on panel, 105,7 × 77,4 cm
New York, The Museum of Modern Art. Achat / Purchase, 2000

Musique

Music

52 Henri Matisse (1869-1954)
La Tristesse du roi (Le Roi triste) / The Sorrows of the King, 1952
Papiers gouachés, découpés, marouflés sur toile /
Gouache-painted paper cut-outs mounted on canvas, 292 × 386 cm
Achat / Purchase, 1954. Paris, Centre Pompidou. Musée national
d'art moderne – Centre de création industrielle

53 Henri Matisse (1869-1954)
La Danse / The Dance, 1909-1910
Huile sur toile / Oil on canvas
260 × 391 cm
Saint-Pétersbourg / St Petersburg,
musée de l'Ermitage /
The State Hermitage Museum

HENRI-MATISSE

54 František Kupka (1871-1957). *Localisation de mobiles graphiques II / Localization of Graphic Motifs II,* 1912-1913. Huile sur toile / Oil on canvas, 200 × 194 cm
Washington, National Gallery of Art. Fonds Ailsa Mellon Bruce et don de Jan et Meda Mladek / Ailsa Mellon Bruce Fund and Gift of Jan and Meda Mladek, 1984.51.1

55 František Kupka (1871-1957)
Amorpha, fugue en deux couleurs / Amorpha, Fugue in Two Colours, 1912
Huile sur toile / Oil on canvas, 211 × 220 cm
Prague, Národní galerie

56 Gino Severini (1883-1966)
Hiéroglyphe dynamique du Bal Tabarin /
Dynamic Hieroglyphic of the Bal Tabarin, 1912
Huile sur toile avec des sequins /
Oil on canvas with sequins, 161,6 × 156,2 cm
New York, The Museum of Modern Art.
Acquis par le legs de Lillie P. Bliss /
Acquired through the Lillie P. Bliss Bequest, 1949

P
L KA
MICHE
TON
VALSE

57 Wassily Kandinsky (1866-1944)
Panneau pour Edwin R. Campbell n° 1 /
Panel for Edwin R. Campbell No. 1, 1914
Huile sur toile / Oil on canvas, 162,5 × 80 cm
New York, The Museum of Modern Art.
Fonds Mrs. Simon Guggenheim /
Mrs. Simon Guggenheim Fund, 1954

58 Wassily Kandinsky (1866-1944)
Panneau pour Edwin R. Campbell n° 2 /
Panel for Edwin R. Campbell No. 2, 1914
Huile sur toile / Oil on canvas, 162,6 × 122,7 cm
New York, The Museum of Modern Art.
Fonds Nelson A. Rockefeller (par échange) /
Nelson A. Rockefeller Fund (by exchange), 1983

59 Wassily Kandinsky (1866-1944)
Panneau pour Edwin R. Campbell n° 3 /
Panel for Edwin R. Campbell No. 3, 1914
Huile sur toile / Oil on canvas, 162,5 × 92,1 cm
New York, The Museum of Modern Art.
Fonds Mrs. Simon Guggenheim /
Mrs. Simon Guggenheim Fund, 1954

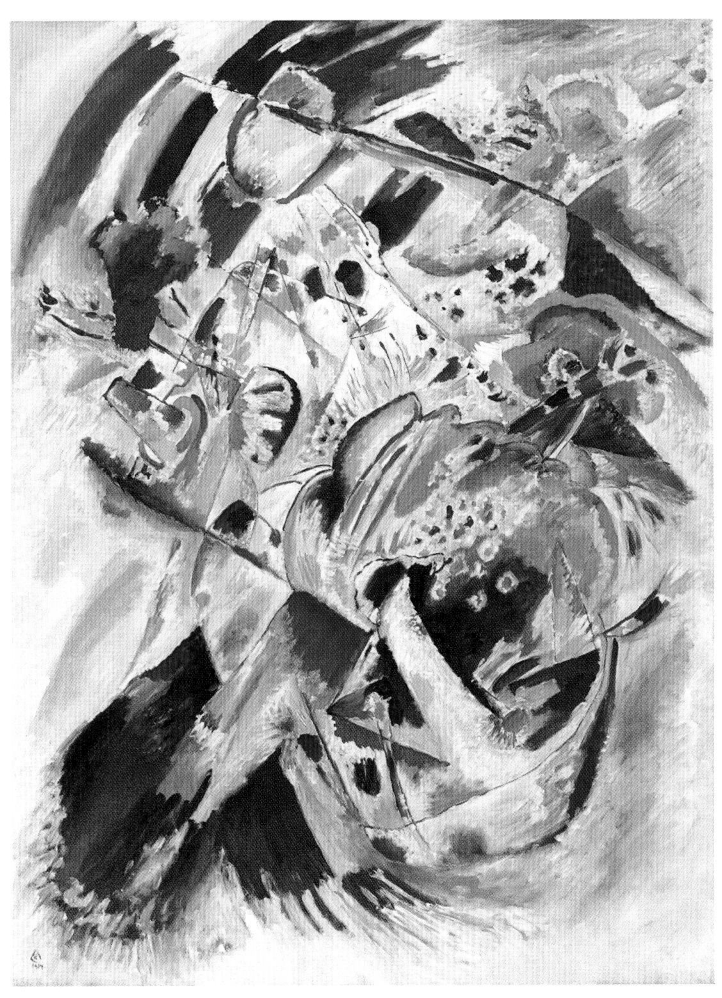

60 Wassily Kandinsky (1866-1944)
Panneau pour Edwin R. Campbell n° 4 /
Panel for Edwin R. Campbell No. 4, 1914
Huile sur toile / Oil on canvas, 163 × 122,5 cm
New York, The Museum of Modern Art.
Fonds Nelson A. Rockefeller (par échange) /
Nelson A. Rockefeller Fund (by exchange), 1983

FONDATION LOUIS VUITTON

Bernard Arnault, *Président de la Fondation Louis Vuitton / President of the Fondation Louis Vuitton*

Jean-Paul Claverie, *Conseiller du président / Advisor to the President*

Suzanne Pagé, *Directeur artistique / Artistic Director*

Sophie Durrleman, *Directrice déléguée / Executive Director*

EXPOSITION / *EXHIBITION*

Commissaires / Curators
Suzanne Pagé
Béatrice Parent

Conseiller scientifique / Scientific Advisor
Isabelle Monod-Fontaine

Assistant conservateur / Curatorial Assistant
Ludovic Delalande

Assistante d'exposition / Exhibition Assistant
Anaïs Alax

Architecte / Architect
Jean-François Bodin

Production / Production
Élodie Berthelot
avec / with Benjamin Baudet, Élise Blanc
et l'agence / and the agency Arter: Renaud Sabari

Régie des œuvres / Registrars
Benoit Dagron et / and Delphine Davenier

Eclairage / Lighting
Laurent Escaffre – Ingélux

Signalétique / Graphic Design
Yan Stive

ALBUM

Cet album, coordonné par Ludovic Delalande, a été réalisé à partir du catalogue de l'exposition *Les clefs d'une passion* (1er avril – 6 juillet 2015), conçu sous la direction de Suzanne Pagé et de Béatrice Parent, avec Patricia Falguières comme conseiller scientifique et Annie Pérez comme coordinateur éditorial.

This album, coordinated by Ludovic Delalande, is based on the catalogue of the exhibition *Keys to a Passion* (April 1 – July 6, 2015), edited by Suzanne Pagé and Béatrice Parent, with Patricia Falguières as scientific advisor and Annie Pérez as editorial coordinator.

Éditions / Publishing
Raphaël Chamak

Iconographie / Picture Research
Clarisse Deubel, Aude Laporte

Graphisme / Graphic Design
Wijntje van Rooijen & Pierre Péronnet

Direction de la communication / Communications
Isabella Capece Galeota
avec / with
Marie-Aurore de Boisdeffre
Jean-François Quemin

Presse / Press
Roya Nasser, Leslie Compan, Brunswick Arts

Direction juridique / General Counsel
Pascale Hérivaux

Direction financière / Chief Financial Officer
Jean-Christian Seguret

Fondation d'entreprise Louis Vuitton